这是我的书
It's MY BOOK
7级：400字

难忘的日本之行

作者：程以克（Vicki Cheng）
插图：冰河插画（Bing He Design）

北京语言大学出版社
BEIJING LANGUAGE AND CULTURE UNIVERSITY PRESS
PHOENIX TREE PUBLISHING INC.

识 读 安静 车票 相信 留
所以 钓 挂

句 型 ……把……

字 数 430 字

sì yuè sān rì jīn tiān shì wǒ men dào rì běn de
4月3日：今天是我们到日本的
dì èr tiān wǒ men kàn le fù shì shān hé yīng huā
第二天，我们看了富士山和樱花。
fù shì shān hěn měi shān dǐng xuě bái xuě bái de shān
富士山很美，山顶雪白雪白的，山
xià de hé shuǐ qīng qīng de bà ba shuō yīng huā
下的河水清清的。爸爸说："樱花
kāi fàng shí yí piàn fěn hóng kě shì tā de huā qī hěn
开放时一片粉红，可是它的花期很
duǎn cóng huā kāi dào huā luò zhǐ yǒu qī tiān suǒ yǐ
短，从花开到花落只有七天，所以
rì běn yǒu yīng huā qī rì de shuō fǎ
日本有'樱花七日'的说法。"

sì yuè sì rì jīn tiān zuò huǒ chē fā shēng le
4月4日：今天坐火车，发生了
jǐ jiàn xiǎo shì wǒ men yào zuò jiǔ diǎn de huǒ chē bā
几件小事。我们要坐9点的火车，8
diǎn wǔ shí jiǔ fēn yǒu yí liàng huǒ chē jìn zhàn wǒ men jiù
点59分有一辆火车进站，我们就
shàng chē le hòu lái fā xiàn zuò cuò le yuán lái rì
上车了，后来发现坐错了。原来日
běn de huǒ chē hái yǒu yì fēn zhī chā
本的火车还有一分之差！

kāi chē hòu chē zhǎng jìn lai le tā yí lù gěi
开车后，车长进来了。他一路给
dà jiā jū gōng hái shuō zǎo shang hǎo rén men ān
大家鞠躬，还说“早上好”。人们安
jìng de zuò zhe yǒu rén dú shū yǒu rén shuì jiào suī
静地坐着，有人读书，有人睡觉。虽
rán bú shì měi gè rén dōu néng kàn dào chē zhǎng dàn shì tā
然不是每个人都能看到车长，但是他
měi cì jū gōng dōu shì jiǔ shí dù yì zhí méi biàn
每次鞠躬都是九十度，一直没变。

xià chē shí wǒ zhǎo bu dào chē piào le chē
下车时，我找不到车票了。车
zhàn de ā yí duì wǒ shuō wǒ xiāng xìn nǐ mǎi piào
站的阿姨对我说：“我相信你买票
le xià cì zhù yì hǎo hǎo bǎo liú chē piào tīng
了，下次注意好好保留车票。”听
shuō chē zhàn de gōng zuò rén yuán yì bān dōu xiāng xìn dà
说车站的工作人员一般都相信大
jiā shì chéng shí de
家是诚实的。

sì yuè wǔ rì jīn tiān wǒ men qù le qiǎn cǎo

4月5日：今天我们去了浅草。

lù shang mā ma gěi wǒ jiǎng le yí gè gù shi hěn

路上妈妈给我讲了一个故事：很

zǎo yǐ qián liǎng gè yú mín qù dǎ yú jié guǒ diào

早以前，两个渔民去打鱼，结果钓

dào le yí gè jīn sè de fó xiàng huí jiā yǐ hòu

到了一个金色的佛像。回家以后，

tā men bǎ zì jǐ de jiā gǎi jiàn chéng sì miào bǎ

他们把自己的家改建成寺庙，把

fó xiàng fàng zài lǐ miàn ràng rén men guān kàn hòu lái

佛像放在里面让人们观看。后来，

zhè ge sì miào jiù chéng le yǒu míng de qiǎn cǎo sì

这个寺庙就成了有名的浅草寺。

qiǎn cǎo hái yǒu hěn duō xī wàng shù rén
浅草还有很多“希望树”，人
men huì zài zhǐ tiáo shang xiě jǐ jù huà bǎ tā guà
们会在纸条上写几句话，把它挂
zài shù shang wǒ yě xiǎng xiě zhāng zhǐ tiáo mā ma wèn
在树上。我也想写张纸条。妈妈问：
nǐ xiě shén me ne wǒ shuō xī wàng jīn nián
“你写什么呢？”我说：“希望今年
wǒ de gōng kè dōu dé jiǔ shí fēn yǐ shàng
我的功课都得90分以上！”

bà ba xiào le bié wàng le zhǐ yǒu nǔ
爸爸笑了：“别忘了，只有努
lì xī wàng cái huì chéng zhēn
力，希望才会成真。”

浅草寺
96

1 4月3日：今天是我们到日本的第二天，我们看了富士山和樱花。富士山很美，山顶雪白雪白的，山下的河水清清的。爸爸说：“樱花开放时一片粉红，可是它的花期很短，从花开到花落只有七天，所以日本有‘樱花七日’的说法。”

2 4月4日：今天坐火车，发生了几件小事。我们要坐9点的火车，8点59分有一辆火车进站，我们就上车了，后来发现坐错了。原来日本的火车还有一分之差！

3 开车后，车长进来了。他一路给大家鞠躬，还说“早上好”。人们安静地坐着，有人读书，有人睡觉。虽然不是每个人都能看到车长，但是他每次鞠躬都是九十度，一直没变。

4 下车时，我找不到车票了。车站的阿姨对我说：“我相信你买票了，下次注意好好保留车票。”听说车站的工作人员一般都相信大家是诚实的。

5 4月5日：今天我们去了浅草。路上妈妈给我讲了一个故事：很早以前，两个渔民去打鱼，结果钓到了一个金色的佛像。回家以后，他们把自己的家改建成寺庙，把佛像放在里面让人们观看。后来，这个寺庙就成了有名的浅草寺。

6 浅草还有很多“希望树”，人们会在纸条上写几句话，把它挂在树上。我也想写张纸条。妈妈问：“你写什么呢？”我说：“希望今年我的功课都得90分以上！”

7 爸爸笑了：“别忘了，只有努力，希望才会成真。”

出てくる
看图讲故事